# 脳内エステ IQサプリ

**Ver.4**

beautiful brain

## 脳内エステ
# 『IQサプリ Ver.4』の処方箋

　日々酷使している「脳」にはストレスがいっぱいです。そのストレスを解消する一番の方法は実は"考えること"。年齢に関係なく、考えれば、考えるほど、脳は輝きを増します。ひねりのきいた極上の問題を解いていただくことで、みなさんの脳をキレイにする。それが本書で処方する『脳内エステ IQサプリ Ver.4』なのです。

　決して難しい問題を解いていただくわけではなく、よ～く考えれば誰もがわかるような問題ばかりが用意されています。大人が解けて子供が解けないということはありません。大人が解けなくて子供が解けるということは大いにあり得ます。

　正解を導くために、脳の直感力、洞察力、計算力、創造力など、さまざまな脳の力をフルに活用し、刺激していただくことが重要なのです。

　本書を読み終えた後、みなさんの脳がスッキリし、「美脳」になることをお約束いたします。

■こんな方によく効きます。

| 直感が働かない | 洞察力が鈍りがち | 計算が苦手 | 創造力がわかない |

| 効 能 | 以下のような症状がある方は、その指し示すサプリから服用してください。 |
|---|---|

(1) 最近考えすぎでくたびれ気味の脳を癒してあげたい方は
---------------------------------➤ 桃色のページのサプリ

(2) 物忘れなどが激しく、脳の血の巡りをよくしたい方は
---------------------------------➤ 赤色のページのサプリ

(3) 日本語を大事にし、国語力や言葉に対する感性を磨きたい方は
---------------------------------➤ 茶色のページのサプリ

(4) クリエイティブな活動を行うため、ひらめき力を鍛えたい方は
---------------------------------➤ 橙色のページのサプリ

(5) もう大人なので、きちんと物事を見極められるようになりたい方は
---------------------------------➤ 緑色のページのサプリ

(6) 数字に弱い家系に生まれてしまったことに悩み、克服したい方は
---------------------------------➤ 青色のページのサプリ

(7) 鼻歌でも歌いながら、脳天気に地理の勉強をしたい方は
---------------------------------➤ 水色のページのサプリ

| IQレベル |
|---|

『脳内エステ IQサプリ』では2004年10月より、全国の10代～40代のサプリ会員100名に事前に問題を解いてもらい、専門家の協力のもと、各問題のIQを算出しています。また各章ごとに、ページが進むとIQレベル（難易度）もUPしています。

協力：小野田博一先生

一般人の平均 IQ は
東大生の平均 IQ は

| 服用後の効果 | 各サプリ服用後の脳の状態が、「スッキリ感」と「モヤッと感」で示してあります。 |
|---|---|

スッキリ感→　　　　　　モヤッと感→

| 用法・用量 | 特にございません。お気の済むまでご服用ください。 |
|---|---|

⚠ 保管及び取り扱い上の注意

(1) 直射日光の当たらない湿気の少ない涼しい所に保管してください。
(2) 他の容器に入れ替えないでください。
(3) 使用期限は特にございません。

最近考えすぎでくたびれ気味の脳を

癒してあげたいという方には、

この桃色のページの

サプリを処方いたします。

問題にチャレンジする前に、脳を活性化させましょう。

制限時間
5秒

ナ
オ
ダ
ブ
ノ
ガ

観覧車の中に、ある歴史上の人物の名前が隠れています。それが誰だかあててください。番組の「IQホイール」と違い、6つの文字がアトランダムに並んでいます。あなたの頭を柔らかくして、推理して並び替えてください。

（答え 織田信長）ノブナガオダ

PRESCRIPTION

## 処　方　箋

探険隊が
遭遇した謎の
生物、あなたは
見破れるかな？

このサプリが解けたら
あなたの **IQ** は

**Q 1**

スクープです。サプリ王国で探険している IQ 探険隊が不思議な生物に遭遇しました。その動物は次の3つの部分で出来ているといいます。

# キングコングの頭
# トリのしっぽ
# パンダのおなか

さて、この生き物とは何でしょう？

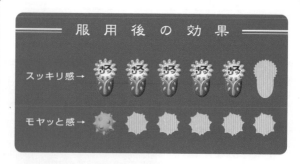

服 用 後 の 効 果

スッキリ感→

モヤッと感→

A 1

# キリン

「キングコング」→ の頭（最初）の文字は「キ」。

「トリ」→ のしっぽ（最後）の文字は「リ」。

「パンダ」→ のおなか（真ん中）の文字は「ン」

ということで「キリン」でした。

**重症患者の症例** 金子貴俊さんの場合

# 王

キングコングのキングは「王」ですよ。
パンダなんて漢字で「大熊猫」って書くんですよ。
でも鳥のしっぽを探したらどこにも無かったんです。
↑パニクってます？

テレビの前の
お父さん、
あなたの会社は
大丈夫ですか？

このサプリが解けたら
あなたの IQ は

## Q 2

株式会社サプリの有能サラリーマン
**伊東さん、今田さん、石塚さん**
の3人。ある日、その中の1人がいなくなっ
たとたん、会社の経営は傾き、つぶれて
しまいました。

さて、それは3人のうち誰でしょう？

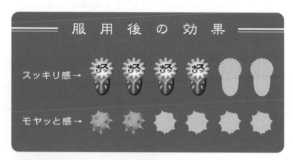

(A) 2

# 伊東さん

「いとうさん」が「いなくなる」、つまり「い」が無くなると「とうさん（倒産）」になってしまうからです。

答えがわかれば
あなたも
癒されます。

このサプリが解けたら
あなたの **ⅠＱ** は

**Q 3**

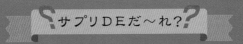

次の特徴を持つものとは何でしょう?

先祖は400万年前の人類の化石と共に
発見されています。人の一生の3分の1
は一緒にいます。仕事は人に夢を与える
ことです。ひと言で言えば"癒し系"です。
たまに蹴られたり投げられたりもします。
メジャーリーガーのイチローや松井もこ
だわっています。

スッキリ感→

モヤッと感→

# 枕

サプリメモ

　　　最近人気の低反発枕。
その素材はスペースシャトルの椅子にも
　　　　使われています。
　時間がくると振動で起こしてくれる
目覚まし時計がついたクロックピロー
　　　というものもあります。

このサプリが解けたら
あなたの **IQ** は

楽しいゲストの
登場です。

**Q4** ----------------------------------------

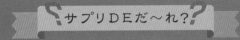

サプリDEだ～れ?

## 次の特徴を持つものとは何でしょう?

私の先祖はインドで生まれたと言われていますが、その後14世紀のヨーロッパで今の形になりました。日本には室町時代末期にポルトガルから来ました。基本的に1人では働けず、仕事は家族と一緒です。1人でも欠けると価値がなくなります。大家族です。楽しんでもらうのが仕事ですが、最近ライバルが増えているので年々減っています。体が丈夫でいつも切られています。

スッキリ感→

モヤッと感→

A 4

# トランプ

重症患者の症例　さゆりさん (かつみ♥さゆり) の場合

## カステラ

違いますか。ショボボーン！

↑ショボボーンがやりたいだけですね。

絵本のような
和み系の
サプリです。

このサプリが解けたら
あなたの【 I Q 】は

**Q5** ------------------------------------------------

サプリ城の中で暮らしている2人の王様
は楽器好きで、いつも様々な楽器を演奏
しています。

では、2人の王が今演奏している
楽器とは一体何でしょう？

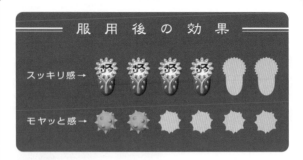

服 用 後 の 効 果

スッキリ感→

モヤッと感→

A 5

# 琴

「2人の王が今」を漢字に
変換して合体すると
「琴」という文字が表れます。

重症患者の症例 竹山隆範さんの場合

## カスタネット

2人の王が楽しくカスタネットを演奏すれば
平和な国になると思いました。
↑竹山さん、そんなキャラでしたっけ?

買い物好きな
お母さんなら
すぐにスッキリ
するはず。

このサプリが解けたら
あなたの **IQ** は

**Q6**

ある日、IQデパートのバーゲンに駆けつけたサプ子さんですが、近寄っただけで帰ってしまいました。けれど近所の人はデパートの中でサプ子さんを見かけたといいます。

一体どこで見かけたのでしょう?

スッキリ感→

モヤッと感→

A 6

# 地下

「近寄った」＝「ちかよった」
＝「地下寄った」。
サプ子さんはデパ地下に
寄ったのです。

重症患者の症例 松本伊代さんの場合

## サプリメントのコーナー

↑IQデパートだからですか？

このサプリが解けたら
あなたの **IQ** は

その姿を
思い浮かべれば
癒されるかも。

**Q7**

サプリ文字

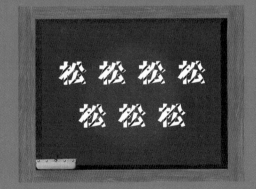

この文字は
何と読むのでしょう?

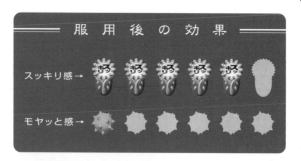

服用後の効果

スッキリ感→

モヤッと感→

A 7

# 松嶋菜々子

しま模様の松が
7個あります。

 重症患者の症例 磯野貴理子さんの場合

# ジュウシマツ

↑なんでやねん。

常識にとらわれない
柔軟な発想が必要。
プルプル脳で
挑戦です。

このサプリが解けたら
あなたの **I Q** は

Q8 ----- 世界一決定!! ● 委員会 ----------

ここはなんでも一番を決定する「世界一
決定!!　委員会」の会場。今日の議題は
宇宙の中で一番小さいものを決定すること。

アリでもミジンコでもなく、
宇宙の中で一番小さいと
決められたものは何でしょう?

**ヒント** 宇宙にもいろいろな形があります。

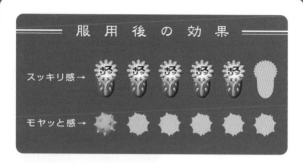

「うちゅう」の中で
一番小さい字は「ゅ」です。

このサプリが解けたら
あなたの IQ は

夏になると
恋しいスペシャル
ゲストです。

Q9

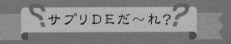

サプリDEだ～れ?

次の特徴を持つものとは何でしょう?

およそ2000年前の中国生まれといわれていて、日本には飛鳥時代に仏教とともに伝わりました。元々は占いや魔除けの道具として使われていましたが、現在はいわゆる癒し系です。最近はマンションが増えて数がめっきり減ってしまいました。値段は千円程度ですが、中には数十万円するものもあります。スタイルは丸くて、特徴である長いベロがないと、きれいな音が出ません。鉄やガラスでできたもの、竹や貝殻、備長炭でできたものもあります。

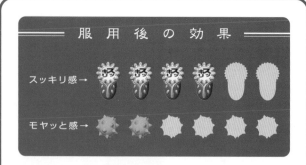

## ═ 服 用 後 の 効 果 ═

スッキリ感→

モヤッと感→

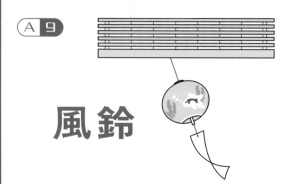

(A) 9

# 風鈴

サプリメモ

高級な素材を使ったものとしては、
18金製の風鈴30万円、
プラチナ製風鈴40万円などがあります。

------------------------------------------------------------

**重症患者の症例** だいたひかるさんの場合

# 南京錠

↑癒し系?

このサプリが解けたら
あなたの **IQ** は

そろそろ
おやつの時間に
しませんか？

**Q 10** - - - - - - - - - - - - - - - - - - - - - - - - - - - - - -

サプリ文字

この文字は
何と読むのでしょう？

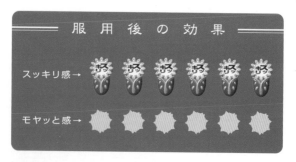

| 服 用 後 の 効 果 | | | | | |
|---|---|---|---|---|---|
| スッキリ感→ | | | | | |
| モヤッと感→ | | | | | |

# イチゴ大福

1と5が大きい服なのです。

## いちごシャツ

↑奥さんになってもかわいい祐実ちゃんです。

# PRESCRIPTION

## 処　方　箋

謎の法則を
解き明かし、
スッキリフラワーを
咲かせてください。

このサプリが解けたら
あなたの（ IQ ）は

ある法則によって
これらの式は成り立っています。

# お茶 ＝ 一
# 筋肉 ＝ 二
# YOU ＝ 四
# 所 ＝ ？

では？に入る漢字は何でしょう？

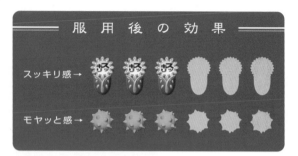

╋

右側の漢数字を英語にして続けて
読むことがポイントです。
お茶ワン、筋肉ツウ、YOUフォーと
言葉になります。
所╋とすれば、
「ところてん」になります。

---

**重症患者の症例** だいたひかるさんの場合

# ティーワン ユウシ ところてん

考え方は間違ってるけど、ところてんはパッと浮かんだんです。
私はこれを正解と見なしています。
↑見なさないでください。

このサプリが解けたら
あなたの **IQ** は

芸能人が
大好きな
サプリです。

**Q 12**

合体漢字

# 八＋十＋人＋火 ＋内＋元＝？

この文字たちを合体させて
2文字の言葉を完成させよ。

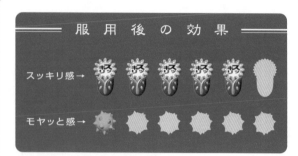

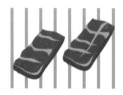

<ruby>焼<rt>やき</rt></ruby><ruby>肉<rt>にく</rt></ruby>

火＋十＋八＋元＝焼
内＋人＝肉

このサプリが解けたら
あなたの **ⅠＱ** は

スターに
まつわる難関
サプリです。

Q 13 - - - - - - - - - - - - - - - - - - - - - - - - - -

次の3人のハリウッドスターの中で、いつも「衣装」を持ち歩いているのは誰でしょう?

**トム・クルーズ**
**レオナルド・ディカプリオ**
**ジュリア・ロバーツ**

A 13

# レオナルド・
# ディカプリオ

「衣装」を文字変換すると
「い小」となります。
名前に小さいイが
入っているのはディカプリオ。
いつも「い小」を
持ち歩いているのです。

<hr>

**重症患者の症例** 石塚英彦さんの場合

## トム・クローゼット

↑本人には見せられませんね。

鍵になるのは
あなたの
国語力です。

このサプリが解けたら
あなたの **IQ** は

**Q 14** ----------------------------------------

モノサプリ

紙に1本の線が引いてあります。

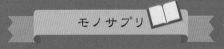

ここに直線を2本足して線を
ひとつにしてください。

**サプリガード** 線の左右を紙の端まで伸ばすのはNG。

----------------------------------------

## 服 用 後 の 効 果

スッキリ感 →

モヤッと感 →

---

A 14

# 千

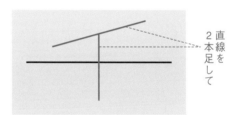

直線を2本足して

せん（千）を
ひとつにしました。

---

重症患者の症例　えなりかずきさんの場合

太いひとつの線なんです。

↑それは強引じゃないかなあ（小島眞の口調で）。

物忘れなどが激しく、

脳の血の巡りをよくしたいという方には、

この赤色のページの

サプリを処方いたします。

問題にチャレンジする前に、脳を活性化させましょう。

制限時間
5秒

観覧車の中に、ある歴史上の人物の名前が隠れています。それが誰だかあててください。番組の「IQホイール」と違い、7つの文字がアトランダムに並んでいます。あなたの頭を柔らかくして、推理して並び替えてください。

答 Ⓐ フクザワユキチ（福沢諭吉）

見たままを
順番に考えて
言葉にして
みましょう。

このサプリが解けたら
あなたの **IQ** は

**Q 15** - - - - - - - - - - - - - - - - - - - - - - - - - - - - -

サプリ文字

この文字は
何と読むのでしょう?

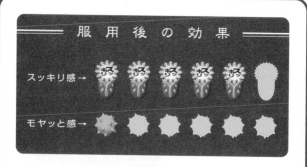

スッキリ感→

モヤッと感→

A 15

# サスペンス

刺すペン「ス」です。

---

重症患者の症例 光浦靖子さんの場合

## ブス

↑確かにブスッと刺してますけどねえ。

このサプリが解けたら
あなたの **IQ** は

発想の転換が
鍵を握る
サプリです。

**Q 16**

愛のマッチ棒劇場

恋のラッキーナンバー

3本のマッチ棒で
できた数字の「7」が
あります。

このうちマッチ棒2本を
動かして13を作ってください。

**サプリガード** マッチ棒を重ねたり折ったり
食べたりしてはいけません。

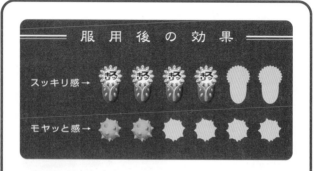

移動する

移動する

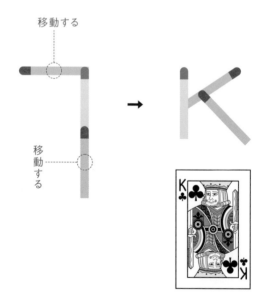

トランプのキング（13）を
作るのです。

スターウォーズに
勝るとも劣らない
大胆な合体です。

このサプリが解けたら
あなたの IQ は

Q 17

合体漢字

# 一＋十＋十＋十＋古
# ＋明＝?

この文字たちを合体させて
2文字の言葉を完成させよ。

---

そう　ちょう
# 早 朝

一＋古＝早

十＋十＋明＝朝

「古」の上下を
引っ繰り返すのです。

---

**重症患者の症例** 梨花さんの場合

## 毒月

↑ドロドロした答えですね。

このサプリが解けたら
あなたの **IQ** は

伏せ字では
ありません。

**Q 18**

サプリ文字

ち ○ ○

この文字は
何と読むのでしょう?

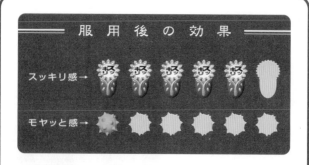

服用後の効果

スッキリ感→

モヤッと感→

A 18

ちわわ

○は輪っかだったのです。

14歳の女の子が
考えた問題です。
中学生の脳で
考えてみてね。

このサプリが解けたら
あなたの **IQ** は

## Q 19

ある法則によって
これらの式は成り立っています。

# 7＋1＝モ
# 10＋8＝ホ
# 5－2＝カ
# 1000－1＝?

では?に入るカタカナはなんでしょう?

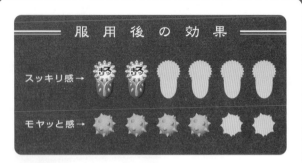

服 用 後 の 効 果

スッキリ感→

モヤッと感→

A 19
--------------------------------------------------------

# イ

左側の数字を漢数字で表わして、その形に注目すると右側の片仮名が出てきます。

七 十 一 ＝ モ

十 十 八 ＝ ホ

五 ー 二 ＝ カ

よって、千から一を引けば「イ」が残ります。

--------------------------------------------------------

**重症患者の症例** 安達祐実さんの場合

## 無解答

14歳の脳で考えようとしても、14歳の時は働きっぱなしでしたからね。

↑当時は日本一働いている中学生でした。

PRESCRIPTION

## 処　方　箋

あなたの心の
すき間を突いた
このサプリ、
よく見て考えて
くださいね。

このサプリが解けたら
あなたの I Q は

Q 20 ------------------------------------

 ルールにのる

?にカタカナ1文字を
入れて文章を成立させてください。

------------------------------------

049

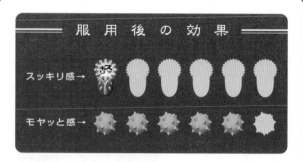

服 用 後 の 効 果

スッキリ感→

モヤッと感→

A 20

- - - - - - - - - - - - - - - - - - - - - - - - - - - - -

# モ

一番目の「ル」は「ノ」と「レ」に
分かれます。
すなわち「モノレールにのる」と
書いてあるのです。

- - - - - - - - - - - - - - - - - - - - - - - - - - - - -

**重症患者の症例** 山崎邦正さんの場合

## アイウエオカキクケコ…（考え中）

これじゃあ、「モノレーノレ」になるじゃないですか！
↑悪あがきです。

# PRESCRIPTION

## 処　方　箋

注意力が
試される
サプリです。

Q 21

昼下がりの空き地に8人のえなり君が集
まってかくれんぼを始めました。鬼になっ
たえなり君、車の中をのぞくと何人か隠
れていました。

### さて何人隠れていたでしょう?

スッキリ感→

モヤッと感→

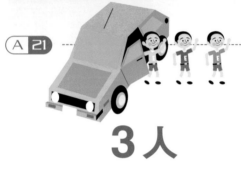

A 21

# 3人

漢字の形に注目してください。

「車の中を除く」、

つまり「車」という文字から

「中」という文字をとると、

「車」→「三」が残ります。

---

重症患者の症例　えなりかずきさんの場合

## 無解答

モヤッとです。

↑そもそも問題がえなり君である必要ないですしね。

このサプリが解けたら
あなたの **IQ** は

色んな知識を
総動員させて
ください。

サプリ文字

**hair**year

この文字は
何と読むのでしょう?

A 22

# 狼少年

大きなhair → 大きな髪→狼
小さなyear→小さな年→少年
で、狼少年なのです。

事件は現場で
起こって
いるのです。

このサプリが解けたら
あなたの **IQ** は

**Q 23**

サプリ署管内で事件発生。今田刑事は
張り込みの末、3人の指名手配グループ
のアジトを発見！　部屋に踏み込みまし
たが、1人だけ逃がしてしまいました。

その逃がした犯人とは
次のうちの誰でしょう？

白鳥健太

赤石拓馬

黒原竜二

A 23

-----------------------------------------------

# 黒原竜二

逃がした犯人→二が下の犯人
ということで二が下にある
黒原竜「二」が犯人です。

柔らかくなった
脳の力を試す
のに最適。
ペンを握りしめて
挑戦してください！

このサプリが解けたら
あなたの **ＩＱ** は

Q 24

「口」という漢字を3つ使って「日」を作ってください。

ただし重なってはいけません。

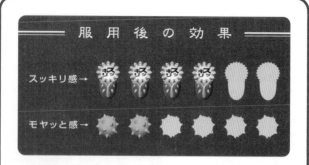

服 用 後 の 効 果

スッキリ感→

モヤッと感→

A 24

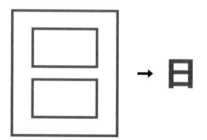

→ 日

まず上下に2つ口を書きます。
その周りを1つの口で
囲むと白抜きの「日」の字になります。

重症患者の症例　今田耕司さんの場合

ちゃんと1つずつ離して書けば良かった〜。
↑号泣です。

他の漢字と
コラボレート
しそうにない字に
注目です。

このサプリが解けたら
あなたの **I Q** は

**Q 25** ----------------------------------------

合体漢字

# 目＋ノ＋具
# ＋木＝？

この文字たちを合体させて
2文字の言葉を完成させよ。

スッキリ感→

モヤッと感→

(A 25)

# 首相
しゅ しょう

ノ＋具＝首

木＋目＝相

「具」の上下を

引っ繰り返すのです。

**重症患者の症例** 東貴博さんの場合

## 眛平

めいへい（眛平）です。

↑頑張っても「めぐへい」ですが。

魔法の国の
不思議を
解き明かせ！

このサプリが解けたら
あなたの **IQ** は

**Q 26** - - - - - - - - - - - - - - - - - - - - - -

ここはIQサプリ城。王様はベッドで苦し
そうに寝ています。苦しそうな王様を見
た魔女のサプリーは、王様の具合を魔
法の水晶玉で見ることに。
「おー見えますぞ。器からこぼれそうなお
米をフタが止めている様子がみえます」

さて、王様の
体の悪い
所とはどこ？

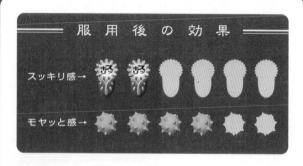

服 用 後 の 効 果

スッキリ感→

モヤッと感→

# 歯

器（凵）から、
こぼれそうなお米（米）を、
フタが止めている（歯）
ので、歯なのです。

磯野貴理子さんの場合

## 胃もたれ

漢字にすると思いませんもん。
↑どう思ったら胃もたれになるんですか？

番組最高の
IQ125。
脳の限界に
チャレンジです。

このサプリが解けたら
あなたの IQ は

Q 27

IQ商事のトイレで社長のサプリ次郎さんが殺されました。この事件の容疑者として名前が挙がったのは第一発見者の「**加藤**」、被害者の部下の「**志村**」、取引先の社長「**高木**」。

そして現場には、トイレットペーパーに
書かれたダイイングメッセージが残されており、
これが犯人逮捕の鍵になりました。
さて、犯人は誰でしょう?

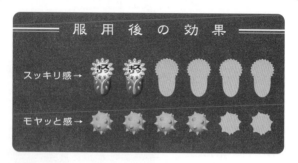

服　用　後　の　効　果

スッキリ感→

モヤッと感→

A 27

# 志村

トイレットペーパーを裏返して
縦にしてみましょう。
実は「ツマル」でなく「シムラ」と
書かれていたのでした。

重症患者の症例　波田陽区さんの場合

# 高木

夕鍵だからです。

↑お約束ですいませんが…残念!

日本語を大事にし、国語力や言葉に対する

感性を磨きたいという方には、

この茶色のページの

サプリを処方いたします。

問題にチャレンジする前に、脳を活性化させましょう。

制限時間
5秒

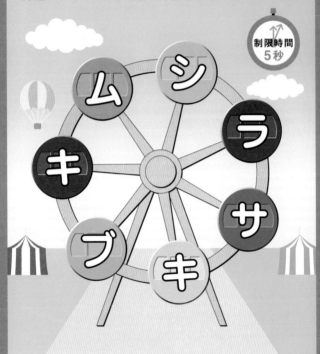

観覧車の中に、ある歴史上の人物の名前が隠れています。それが誰だかあててください。番組の「IQホイール」と違い、7つの文字がアトランダムに並んでいます。
あなたの頭を柔らかくして、推理して並び替えてください。

この問題で
今田さんが
初パーフェクトを
達成しました。

このサプリが解けたら
あなたの IQ は

Q28 ----------------------------------------

これらの漢字はある法則で
並んでいます。

# 貝 会 界 開

では?に入る漢字は
次のうちどれでしょう?

## 金 口 王 山

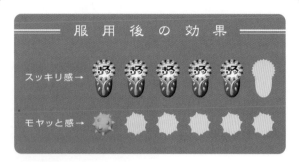

服用後の効果

スッキリ感→

モヤッと感→

A 28

口

並んでいるのはすべて
「カイ」と読む文字です。
□に口を入れると

貝　会　界　開　回

になります。

石塚さんには
難しいかも
しれません。

このサプリが解けたら
あなたの **IQ** は

Q 29

モノサプリ

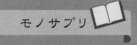

紙に書かれた「あ」から「す」までの
五十音があります。この次の音を
ペンを使って書いてください。ただし、
ペンのキャップを外してはいけません。

あいうえお
かきくけこ
さしす

| 服 用 後 の 効 果 | | | | | |
|---|---|---|---|---|---|
| スッキリ感→ |  | | | | |
| モヤッと感→ | | | | | |

A 29

# ペンで
# 背(せ)を掻く。

「す」の次の文字は「せ」です。
なので「背」をペンでかけばいいのです。

---

**重症患者の症例** 石塚英彦さんの場合

身体とペンで「せ」の形を作った
↑石塚さんは、背中に手は届かないですもんね?

PRESCRIPTION

## 処　方　箋

読者の皆さん、
ごめんなさい。

このサプリが解けたら
あなたの **IQ** は

**Q30**

この問題はあまりに
くだらない問題なので、
サプリマスターである
伊東四朗さんが
口頭で出題しました。

> フジテレビの5台あるエレベーターは地下
> 2階から地上24階までつながっています。
> そのうち1台が現在13階で止まっています。

さてこの後、このエレベーターは
上に行くでしょうか、下に行くでしょうか?

## 服用後の効果

スッキリ感→

モヤッと感→

A 30 --------------------------------------------------

上

下らない問題だからです。

季節によって
よくお世話になる
あの方です。

このサプリが解けたら
あなたのは

Q 31

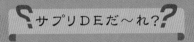

次の特徴を持つものとは何でしょう?

約4000年前にエジプトで生まれ、日本
には6世紀頃に中国から伝わりました。
普段は「引っ込み思案」ですが仕事の
時は「大胆」になります。年間1億2千
万もの仲間が日本に出回ります。値段
は数百円～数万円まで様々です。基本
的には細身です。女性は状況に応じて
使い分けます。

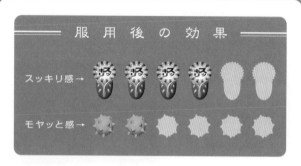

## 服 用 後 の 効 果

スッキリ感→

モヤッと感→

# 傘

┏━━━━━━━━━━━━━━┓
サプリメモ

6月11日は傘の日です。暦の上で
梅雨入りの日とされています。
最近は、ランドセルを背負った
小学生にピッタリの楕円形たまご傘や、
犬向けのワンブレラ、
2つの傘がくっついている相合い傘も
商品化されています。

この問題を
解くのに
必要なものが
答えです。

このサプリが解けたら
あなたの **I Q** は

Q 32

合体漢字

# 一 + 口 + 心 + 矢 + 旦 = ?

この文字たちを合体させて
2文字の言葉を完成させよ。

## 服用後の効果

| | | | | | | |
|---|---|---|---|---|---|---|
| スッキリ感→ |  | | | | | |
| モヤッと感→ | | | | | | |

A 32

---

### 知恵
（ち え）

矢＋口＝知

一＋旦＋心＝恵

「旦」の上下を引っ繰り返し、

「一」を縦に突き刺すのです。

---

**重症患者の症例** 竹山隆範さんの場合

## 知心旦

一を縦にするのはどうかと思うんですよね。

↑知恵があれば縦にもできます。

# 処　方　箋

10歳が考えた
超難度サプリです。

このサプリが解けたら
あなたの **IQ** は

**Q33** ----------------------------------------

合体漢字

# 一＋全＋八 ＋八＋昔＝?

この文字たちを合体させて
2文字の言葉を完成させよ。

A 33

# 黄金
おう ごん

$$昔 + 一 + 八 = 黄$$
$$全 + 八 = 金$$

**重症患者の症例** 夏川純さんの場合

## 黄金

なんで正解じゃないの〜?

↑当番組とは別の次元で問題が生じました。

# 処　方　箋

このサプリが解けたら
あなたの **I Q** は

日本人が
大好きな
ゲストです。

`Q 34`

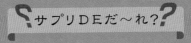
サプリDEだ〜れ?

## 次の特徴を持つものとは何でしょう?

私たちは弥生時代には生まれていたといわれています。石川県の杉谷チャノバタケ遺跡からは私の化石が発見されました。日本の昔話にも登場していますが、桃太郎には登場しません。スタイルは地方や家庭によって丸から三角までいろいろあります。体は白く黒い服を着せられることがほとんどです。性格は日本的で、しっとりした奴とカラッとした奴に分かれます。値段は100円程度です。

## 服 用 後 の 効 果

スッキリ感→

モヤッと感→

---

Ⓐ34

# おにぎり

---

### サプリメモ

故・黒澤明監督が愛したという
爆弾おにぎりは直径20㎝、重さ1kg。
たらこ、鮭、昆布、かつおぶし、
からあげ、梅、高菜、じゃこの
8種類の具が入っていました。

---

**重症患者の症例** 大沢あかねさんの場合

# 市原悦子さん

昔話っていうから…。

↑地方や家庭により丸から三角までいろいろあるんですよ!

# 処　方　箋

今夜あの芸能人が
噂の真相を激白!

このサプリが解けたら
あなたの（ I Q ）は

Q 35 ----------------------------------------

タレントのサプ美さんが初ゴシップ。
しかもその相手は『IQサプリ』の男性出
演者だといいます。

さて、つきあったのは
次の3人のうち誰でしょう。

 **伊東四朗**

 **今田耕司**

 **石塚英彦**

━━ 服 用 後 の 効 果 ━━

スッキリ感→

モヤッと感→

Ⓐ 35

# 伊東四朗

「つきあった」→「月有った」
ということで、
名前に「月」の字がある人を
探すと伊東四朗さんでした。

**重症患者の症例** 今田耕司さんの場合

## 今田耕司

そりゃ俺でしょ。他の2人結婚してるじゃないですか。
↑でも負けちゃいました。

# 処　方　箋

ちょっと田舎を
思い出して
みてください。

このサプリが解けたら
あなたの **IQ** は

`120`

Q 36

愛のマッチ棒劇場

少年の日の思ひ出

あなたは
マッチ棒
12本でできた
田んぼに
います。

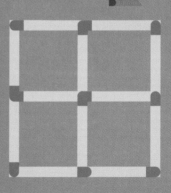

ではマッチ棒2本だけを移動させて、
この田んぼにいる生き物を
探してください。

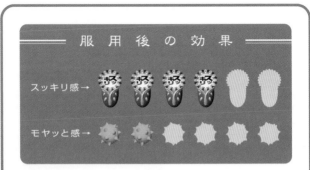

# 虫

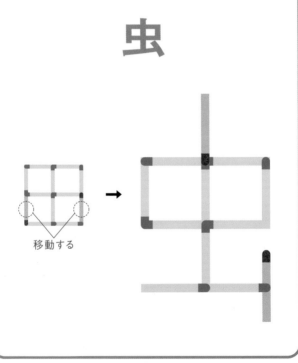

移動する

このサプリが解けたら
あなたの **I Q** は

五感を
研ぎ澄まして
挑戦してください!

今日もグルメ番組でおいしい中華料理を
食べている内山君。ところが思うように
箸が進まず、病院で診てもらうと「しばらく
の間は控えなさい」と言われてしまいました。

控えるように言われたものは
一体何でしょう?

| 服 用 後 の 効 果 | | | | | |
|---|---|---|---|---|---|
| スッキリ感→  | | | | | |
| モヤッと感→ | | | | | |

A 37

# 糖分

「しばらくの間」を
言い換えると「当分（とうぶん）」です。
糖分は控えなさいと言われたのです。

**重症患者の症例** 江守徹さんの場合

## 豚ばら肉

し"ばら"くだから。わしの答えもいいんじゃないか？
↑ばらしか合ってませんけど。

スパイの暗号を
解読して
天才の称号を
勝ち取って下さい。

このサプリが解けたら
あなたの **IQ** は

Q 38

国際的に活躍するスパイ00Qのもとに、謎の
ケースとともに、ボスからの指令が届いた。

指令
**このケースを
ミスター「さへほ」に渡せ**

その人物とは **Mr.ブラウン、Mr.ホワイト、
Mr.グリーン**の中の1人。

誰に渡すの
でしょうか？

## ── 服 用 後 の 効 果 ──

スッキリ感→

モヤッと感→

(A)38

# Mr.ブラウン

「さへほ」を片仮名で
縦書きすると

 ＝「茶」という漢字になります。
茶＝ブラウンでした。

---

**重症患者の症例** 伊藤淳史さんの場合

## Mr.グリーン

↑自信を持って間違えた伊藤君です。

サッカーに
まつわる難解な
上質サプリです。

このサプリが解けたら
あなたの IQ は

Q 39

動物サッカーチームの「サプリマドリード」
は多額の移籍金でロニャルドやベッカメ
など有名選手を次々と獲得！　もはや敵
無しと世間でも評判の高いチームでしたが、
優勝を逃してしまいました。その理由は、
あまりにも高い契約金のせいで採算が取
れず、獲得を断念した選手がいたからです。

さて、その選手とは一体誰でしょう？

## 服用後の効果

スッキリ感→

モヤッと感→

---

Ⓐ 39

# サイ

問題文をよく読むと
「採算が取れず」＝「サイさんがとれず」
と言っています。

---

**重症患者の症例**　磯野貴理子さんの場合

## イルカ

採算がとれないから、もう要るか!(イルカ)って。
↑それも、面白いっすね。

このサプリが解けたら
あなたの ( I Q ) は

サッカーの次は
野球がテーマの
サプリです。

( Q 40 )

8月の熱帯夜。IQサプリーズは8連敗を喫してしまいます。IQサプリーズの監督とオーナーは2人きりで密室の中、緊急ミーティングを行っていました。誰にもきかれないようドアも閉め切っていましたが、しかし2人の他にもきいている者がいたのです。

さて、それは一体何者でしょう?

服 用 後 の 効 果

スッキリ感 →

モヤッと感 →

A 40 ------------------------------------------------

# クーラー

クーラーが利いていたのです。

## 処　方　箋

日頃の言語力が
キモになる
サプリです。

このサプリが解けたら
あなたの **IQ** は

**Q 41**

ここはサプリ水族館。6月4日にカメが生まれました。
そこで飼育係は観察日誌をつけることに。カメは
生まれたその日は姿を見せませんでしたが、5日、
6日…と6月13日まで元気に姿を見せました。どう
やらカメが姿を見せるには法則があるようです。

では、生後11日目の6月14日は
姿を見せたでしょうか？

| 4日<br>(土) | 5日<br>(日) | 6日<br>(月) | 7日<br>(火) | 8日<br>(水) | 9日<br>(木) | 10日<br>(金) |
|---|---|---|---|---|---|---|
| × | ○ | ○ | ○ | ○ | ○ | ○ |
| 11日<br>(土) | 12日<br>(日) | 13日<br>(月) | 14日<br>(火) | | | |
| ○ | ○ | ○ | ? | | | |

スッキリ感 →

モヤッと感 →

# 見せなかった。

| いち にちめ | ふつ かめ | みっ かめ | よっ かめ | いつ かめ | むい かめ | なの かめ |
|---|---|---|---|---|---|---|
| × 誕生 | ○ | ○ | ○ | ○ | ○ | ○ |
| よう かめ | ここの かめ | とお かめ | じゅういち にちめ | | | |
| ○ | ○ | ○ | × | | | |

「ふつカメ」「みっカメ」など、呼び方に

「カメ」が付く日は姿を見せます。

よって「じゅういちにちめ」は

姿を見せないのです。

**重症患者の症例** ウエンツ瑛士さんの場合

## 見せた!!

6月4日は無視した。

↑それじゃあ、姿を見せない日がないじゃないですか。

クリエイティブな活動を行うため、

ひらめき力を鍛えたいという方には、

この橙色のページの

サプリを処方いたします。

# 単行本バージョン
# IQ Wheel ホイール

問題にチャレンジする前に、脳を活性化させましょう。

制限時間
5秒

観覧車の中に、ある歴史上の人物の名前が隠れてい
ます。それが誰だかあててください。番組の「IQホイール」
と違い、8つの文字がアトランダムに並んでいます。
あなたの頭を柔らかくして、推理して並び替えてください。

（答え）アシカガタカウジ（足利尊氏）

## 処　方　箋

女性の皆さん、
当たらないと
不吉な予感…?

このサプリが解けたら
あなたの **IQ** は

**95**

**Q 42**

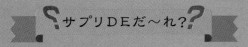

サプリDEだ～れ?

### 次の特徴を持つものとは何でしょう?

私は16世紀のヨーロッパで生まれ、日本でデビューしたのは明治の頃でございますのよ。元々はカラフルなものが多く茶色が主流でしたが、今は白が多いです。8mを超えるようなものもありますし、すごく短いものもあります。格調の高い場所でスポットライトを浴びる仕事です。ダイアナさんやマライアキャリーとも仕事をしたことがあります。磯野貴理子さんともお仕事してさしあげました。

## ━━━ 服 用 後 の 効 果 ━━━

スッキリ感→

モヤッと感→

A 42

# ウエディング
# ドレス

---

サプリメモ

最近はミニスカートタイプや
打ち掛けの上に着る和装タイプ、
エコロジーの時代にマッチした
和紙タイプのドレスなどもあります。

---

**重症患者の症例** 江守徹さんの場合

# ズロース

↑時代を感じるお答えです。

このサプリが解けたら
あなたの **IQ** は

呼び方が
ひらめけば
答えもわかります。

Q 43

サプリ文字

この文字は
何と読むのでしょう?

服　用　後　の　効　果

スッキリ感→

モヤッと感→

A 43

# チャリティー

自転車（チャリ）が
T（ティー）の形になっています。

100

## 処　方　箋

花火がおりなす
華麗な
サプリです。

このサプリが解けたら
あなたの（ I Q ）は

Q44

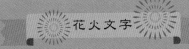

上から読んでも下に読んでも左から読んでも右に読んでも言葉になるように?に入る文字を次の4つの中から選びなさい。

大
↓
夕→**?**→像
↓
教

食　仏　神　整

101

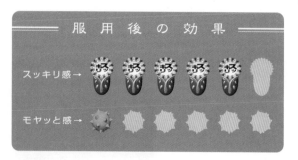

スッキリ感→

モヤッと感→

A 44 ------------------------------

# 仏

仏を入れると
「大仏」「仏教」「仏像」。
左から呼んだ場合は
「夕仏」ではなく、片仮名で
「タイム」になります。

-------------------------------------

**重症患者の症例** ウエンツ瑛士さんの場合

## なんですか?

↑もう気が遠くなっています。

# PRESCRIPTION

## 処　方　箋

いつもの暗号より
ひねりが
利いています。

このサプリが解けたら
あなたの **I Q** は

<Q45> - - - - - - - - - - - - - - - - - - - - - - - -

今田さんがある女性にラブレターを送りました。

### ヒョウの鳥　婚礼

**ヒント** →気にして読んでね。

さて、何と書いてあるのでしょう?

スッキリ感→

モヤッと感→

(A) 45

# 今日の
# 貴理子きれい

「ヒ」「ン」「ト」の
3文字を「キ」にして読むと
「ヒョウノトリコンレイ」は
↓　　　↓　　　↓
「キョウノキリコキレイ」になります。
なんと、貴理子さんへの
ラブレターでした。

**重症患者の症例** 今田耕司さんの場合

## 無解答

送るか、そんなもの！
↑照れているようです。

このサプリが解けたら
あなたの **IQ** は

夏休み気分で
考えてください。

**Q 46** ------------------------------------

夏休みの宿題を始めたサプオ君。
ある法則によって漢字を色で
書き分けています。

# 路面 = 緑
# 仮眠 = <ruby>橙<rt>だいだい</rt></ruby>
# 砂 = 紫
# 五輪 = ?

「五輪」は何色で書くのでしょう？

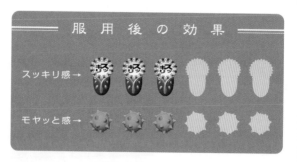

| | 服 用 後 の 効 果 | |
|---|---|---|
| スッキリ感→ | | |
| モヤッと感→ | | |

# 赤

左側の文字を
平仮名にして入れ換えると、
ろめん→めろんは緑色
かみん→みかんは橙色
すな→なす は紫色
という法則が見つかります。
ごりん→りんごは赤色
なので、答えは赤です。

# 処　方　箋

このサプリが解けたら
あなたの **I Q** は

家族全員で
言葉の遊びを
楽しんでください。

Q 47

IQデパートではあるキャラクターが大人気。
グッズも売り切れが続出でテレビや雑誌
でも特集が組まれるほど。そのキャラクター
とはズバリ「TかA」。

TかAで表される

このキャラクターとは？

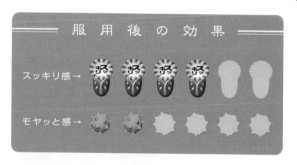

服 用 後 の 効 果

スッキリ感 →

モヤッと感 →

## トラ

TかA → TorA → TORAで
トラなのです。

重症患者の症例　松本伊代さんの場合

## ウルトラマンT
## ウルトラマンA

↑そういうのもいるかもしれませんね。

このサプリから
新たなブームが
生まれる予感。

このサプリが解けたら
あなたの **IQ** は

108

Q 48

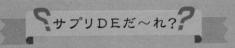

S サプリDEだ〜れ?

次の特徴を持つものとは何でしょう?

> 1770年、イギリス生まれです。香水をつけ
> ていたり、伸びる仲間など様々ですが、一
> 般的には四角いスタイルです。最近生ま
> れた仲間はとてもおしゃれということでニュー
> ヨーク近代美術館に展示されました。よく
> なくされるのが深刻な悩みです。お願いで
> すから最後まで使ってください。漫才のツッ
> コミとボケがあるように相棒とコンビです。
> 意外なことにご先祖はパンなんです。

スッキリ感→

モヤッと感→

A 48

# 消しゴム

サプリメモ

消しゴムが発明されるまでは
パンで消していました。

最近では消しやすい角がたくさんあるカドケシが、その機能的なデザインでニューヨーク近代美術館に展示されました。1977年にはスーパーカー消しゴム、1984年にはキン肉マン消しゴムがブームになりましたが、今度は『IQサプリ』から誕生したモヤッと消しゴムがブームを呼ぶか?

重症患者の症例 山口もえさんの場合

# 槍と楯

↑ご先祖はパンでしょうか。

普段から注意して
見てほしい
サプリです。

このサプリが解けたら
あなたの **IQ** は

---

Q 49

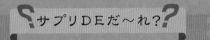

サプリDEだ～れ?

### 次の特徴を持つものとは何でしょう?

日本で正式に誕生したのは大正11年、原始時代に活躍した先祖は石や木を使っていました。織田信長は榎という木を利用していたそうです。日本では1300万の仲間が働いています。見た目は丸いやつや四角いやつや三角なやつもいます。身体の色は赤、青、黄、緑、白、黒、いろんな色を組み合わせています。家の中では見られません。性格は目立ちたがり屋です。人に見られないと存在している意味がありません。雨が降ろうが風が吹こうが24時間立って働いています。

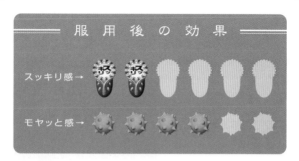

服 用 後 の 効 果

スッキリ感→

モヤッと感→

A 49

# 道路標識

サプリメモ

原始時代は猟場へ行く道の
目印として石や木を置いていました。
織田信長は榎の木を一里塚の
目印にしていたそうです。

東京都豊島区には「カルガモ横断に注意」の標識もあります。

PRESCRIPTION

## 処　方　箋

メルヘンの
世界で起きた
不思議な出来事。
その結末とは?

このサプリが解けたら
あなたの（ I Q ）は

(Q 50) - - - - - - - - - - - - - - - - - - - - - - - - - - - - - -

ここは魔法の国にあるIQサプリ城。城の
中をのぞいてみると王様が「どうしよう」
と泣いています。IQ城に代々伝わる大切
な机が腐ってしまったのです。そこに現れ
た魔女サプリー。魔法で腐った机を救う
というのですが、魔法をかけるとまったく
違うものに変わりました。

一体何に変えて

しまったのでしょうか?

113

スッキリ感→

モヤッと感→

A 50 - - - - - - - - - - - - - - - - - - - - - - - - - - - -

# つえ

腐った→くさった→く去った
「く」去った「つくえ」なので
「つえ」になります。

ひらめく人は
すぐわかります。

このサプリが解けたら
あなたの **I Q** は

114

**Q 51**

＼ 愛のマッチ棒劇場 ／

あなたの愛でわたしを変えて…

マッチ棒6本でできた
長方形があります。

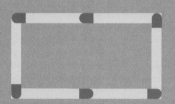

では新たにマッチ棒を1本使って
「中」という漢字にしてください。

**サプリガード** もともとの6本は動かしません。

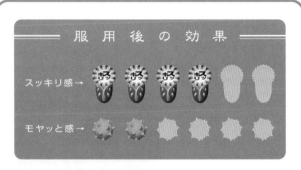

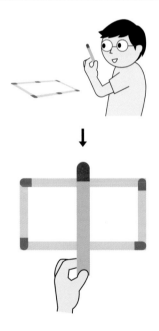

マッチ棒1本を顔の前に持ってきて、
長方形を見ると「中」に見えます。

算数の授業と
ちょっとした
ひらめきが
役に立つぞ!

このサプリが解けたら
あなたの **IQ** は

**Q 52** ---------------------------------

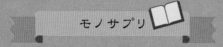

モノサプリ 📖

三角定規を1つだけ使って
平行な2本の線を書いてください。

**サプリガード** 紙のへりは使わず、平行線2本
以外の線も書きません。

A 52

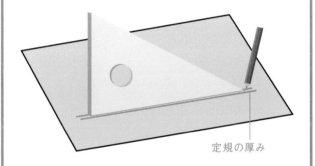

定規の厚み

三角定規を垂直に立てて、
両側から書けば2本引けます。
定規の厚みを利用するのです。

単純だけど奥の
深い合体です。

このサプリが解けたら
あなたの **IQ** は

合体漢字

# 一＋ノ＋口＋
# 牛＋汁 ＝ ?

この文字たちを合体させて
2文字の言葉を完成させよ。

A 53 ----------

<ruby>生<rt>せい</rt></ruby><ruby>活<rt>かつ</rt></ruby>

一 + 牛 = 生

ノ + ロ + 汁 = 活

----------

**重 症 患 者 の 症 例** 野沢直子さんの場合

みそ汁

↑アメリカ在住だと恋しくなりますよね。

## 処　方　箋

お父さんに
すっきりして
もらいたい
サプリです。

このサプリが解けたら
あなたの  は

Q 54

**?** ール

次のうち、?に入れると
暑い季節においしくなるものは
どれでしょう?

**A ク　B ヒ　C プ　D ポ**

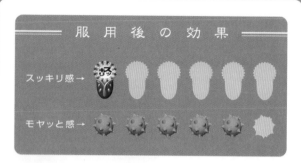

| 服 用 後 の 効 果 | | | | | |
|---|---|---|---|---|---|

スッキリ感→

モヤッと感→

A 54

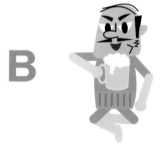

**B**

B－ル、すなわちビールです。
アルファベットのABCDも選択肢の
一つだったのです!

**重症患者の症例** 伊藤淳史さんの場合

↑ アルファベットだと気づいたのに、なぜD?

122

ドキドキ
ドッキングを
お楽しみください。

このサプリが解けたら
あなたの IQ は

Q 55

合体漢字

八＋十＋白＋
糸＋日＋羽 ＝?

この文字たちを合体させて
2文字の言葉を完成させよ。

## 練習
（れん しゅう）

糸＋日＋十＋八＝練

羽＋白＝習

IQサプリらしい
味のある
サプリです。

このサプリが解けたら
あなたの IQ は

(Q 56)

小学生気分でお考えください。

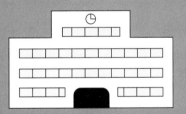

1学期　ゴールデンウィーク
夏休み　3学期
1年の中で一番期間が
長いのはどれでしょう?

## 服 用 後 の 効 果

スッキリ感→

モヤッと感→

A 56

# 1年

1学期　ゴールデンウィーク

夏休み　3学期

1年の中で一番期間が

長いのはどれでしょう?

1年も選択肢の中の一つだったのです。

5択の問題だったのです。

---

重症患者の症例 石塚英彦さんの場合

## ゴールデンウィーク

言葉が一番長い。

↑こういうのもありがちですけどねえ、この番組。

このサプリが解けたら
あなたの **IQ** は

このフォーメーションは一味違うぞ。

Q57

合体漢字

# 長＋女＋貝 ＋和＝？

この文字たちを合体させて
3文字の言葉を完成させよ。

スッキリ感→

モヤッと感→

(A) 57

# 委員長
（い いん ちょう）

禾　　　口　　　　長
＋　　　＋　　　＝
女　　　貝　　　長
＝　　　＝
委　　　員

重症患者の症例　磯野貴理子さんの場合

## 妹長唄

↑弟長唄もあるのでしょうか…。

## PRESCRIPTION

# 処　方　箋

考え方の
焦点が合うことが
大事です。

このサプリが解けたら
あなたの **IQ** は

**Q 58**

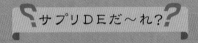

## 次の特徴を持つものとは何でしょう?

私の先祖は1826年にヨーロッパで誕生、先祖のも
とは紀元前に生まれていました。1848年にオラン
ダから来日し、薩摩藩主の島津斎彬に献上されて
使われるようになりました。かつては1回の仕事に
作業時間が6〜8時間かかっていましたが、最近は
すごく短縮されました。仕事にはパートナーがいて、
あまり人前には出ず、私が包み込んでいます。最近
はパートナーが不要な仲間もいます。仕事場はイ
ベント会場や旅行、運動会で大活躍していた時代
もありますが、今はいつでもどこでも活躍しています。

129

A 58

# カメラ

パートナーとは
フィルムのことでした。

サプリメモ

初期のカメラはレンズ前のふたを外して
6時間以上しないと感光しませんでした。

# 処　方　箋

今回の
ボスからの
暗号は特に
ハイレベルです。

このサプリが解けたら
あなたの **IQ** は

Q 59

今日もスパイ00Qのもとにボスからの指
令が暗号文で届いた。

ふぁみれす　ぐみ　はらみ

わし　いど　そらに　こいし

音楽を切って仕事に集中！

さて、この暗号に書かれた内容とは？

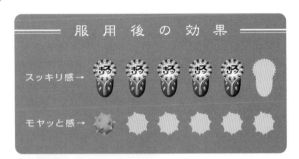

| スッキリ感→ | | | | | | |
| モヤッと感→ | | | | | | |

服用後の効果

A 59

# すぐハワイに来い

音楽を表すものは

ドレミファソラシド。

それらを暗号文から切って（外して）

読むと答えが出てきます。

ふぁみれす

日本の
番組でしか
成り立ちません。

このサプリが解けたら
あなたの **I Q** は

---

(Q 60) --------------------------------------

サプリDEどっち？

サプリ動物園には丸いオリがあって
大人気です。ここの動物たちは
ある法則によって、この丸いオリに
入るか入らないかが決められています。

| 入る | 入らない |
|---|---|
| ライオン | キリン |
| ウマ | トラ |
| タヌキ | ゴリラ |

ではサルは丸いオリに入るでしょうか、
入らないでしょうか？

--------------------------------------

スッキリ感→

モヤッと感→

A 50

# 入る

丸いオリに入る動物は、平仮名で
書くと丸い囲む部分があるのです。

らいおん、うま、たぬき

「さる」もるに丸く囲む部分が

あるので、丸いオリに入ります。

**重症患者の症例** 美山加恋さんの場合

## 無解答

これから頑張るもん。

↑そうそう、人生はこれからですからね。

もう大人なので、きちんと物事を

見極められるようになりたいという方には、

この緑色のページの

サプリを処方いたします。

問題にチャレンジする前に、脳を活性化させましょう。

制限時間
5秒

観覧車の中に、ある歴史上の人物の名前が隠れています。それが誰だかあててください。番組の「IQホイール」と違い、8つの文字がアトランダムに並んでいます。

あなたの頭を柔らかくして、推理して並び替えてください。

# 処　方　箋

8歳の女の子が
考えてくれた
サプリです。

このサプリが解けたら
あなたの IQ は

Q 61

> お母さんに夕飯の買い物を頼まれてしぶ
> しぶ出かけたマナブ君。メモにはじゃが
> いも　バナナ　リンゴ　ブロッコリーと
> 書かれています。

ところがこの中で1つだけ
買わなかったものがあります。
それはどれでしょう?

137

スッキリ感→

モヤッと感→

A 61

# ブロッコリー

「買わなかった」→「皮なかった」
皮がなかったのは
ブロッコリーだけです。

**重症患者の症例** ウエンツ瑛士さんの場合

## じゃがいも

何個買えばいいかわからなかった。
↑なんじゃそら。

## 処 方 箋

IQサプリに
大事件が
発生です！

このサプリが解けたら
あなたの **IQ** は

Q 62

IQサプリの収録日にマスターの伊東四朗さんが何者かに殴られる事件が起こりました。犯行現場に残されていたのは犯行に使用されたハンマーだけ。そこには「LION」という謎の文字が刻まれていました。

これが犯人を見つけだすヒントに
なったのですが、果たして犯人は誰でしょう？

会員番号 **1番・今田耕司**

会員番号 **2番・石塚英彦**

会員番号 **14番・磯野貴理子**

会員番号 **17番・ウエンツ瑛士**

――――― 服 用 後 の 効 果 ―――――

スッキリ感→

モヤッと感→

(A 62)

## 会員番号　17番
# ウエンツ瑛士

「LION」を逆さまから見て下さい。
これは「NOI7」、つまり「NO17」と
書いてあったのです。
つまり、犯人は会員番号17番の
ウエンツさんでした。

重症患者の症例　野沢直子さんの場合

## ライオン

サルは丸いオリに入るっていう…。
↑それは別の問題です！（P.134参照）

使えば
スッキリする
サプリです。

Q 63

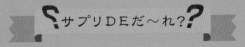

次の特徴を持つものとは何でしょう?

生まれたのは相当昔ですが、古い時代には
木の枝が使われていました。日本に来たのは
明治5年頃、動物の身体の一部を使ってい
ました。人目につかないところで働いていて、
地味だけどさわやかな仕事です。頭の部分は
繊維質の束でできていて、1年間に約4億
5000万使われています。子供は慣れるのに
時間がかかる時があります。最近は超音波を
使ったり、電気で動く仲間も増えました。

A 63

# 歯ブラシ

╭━━━━━━━━━━━━━━━━━━━━
サプリメモ

日本では江戸時代までは「竹の串」が
代用品でした。現在はナイロンの毛を
2cmの長さにカットしたものが主流です。

最近では360度ローラー式の「ローラー歯ブラシ」、表と
裏を同時に磨ける「ふたまた歯ブラシ」もあります。

これは脳だけでなく
推理力も試される
サプリです。滅多に
お目にかかれない
ゲストの登場です。

このサプリが解けたら
あなたの **I Q** は

Q 64

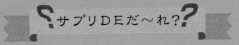

次の特徴を持つものとは何でしょう?

1957年、ロシア（ソ連）生まれで、日本で
は1970年に生まれました。生活必需品た
ちが私を非常に頼りにしています。仲間は
世界に5000以上いて、日本では約30人
が活躍中。大きさは小さくて50cm、大きく
て30mのものもあります。とてもお金がか
かって、昨年度日本で誕生した仲間は
163億円でした。自力で仕事場には行けず、
相棒が連れて行ってくれます。名前は「み
どり」「のぞみ」「はやぶさ」などといいます。

スッキリ感→

モヤッと感→

# 人工衛星

┌─────────────────────────────┐
サプリメモ

地球観測衛星「イコノス」は要望に応じて
あなたの家を宇宙から撮影してくれます。
└─────────────────────────────┘

**重・症患者の症例** ベッキーさんの場合

## 新幹線

↑小さいのは50cmですよ。

# 処　方　箋

このサプリが解けたら
あなたの **IQ** は

答える
チャンスは
皆にあります。

Q 65

合体漢字

# 八＋寸＋竹
# ＋土＋士＝?

この文字たちを合体させて
2文字の言葉を完成させよ。

(A 65) ---------------------------------------------

びょう どう
# 平 等

八＋土＝平

竹＋土＋寸＝等

「土」の上下を

引っ繰り返すのです。

---------------------------------------------

**重 症 患 者 の 症 例** 根本はるみさんの場合

## 寺筈

私は3歳まで漢字習わなかったんで。

↑3歳以降に習えば十分です。

146

# 処　方　箋

歴史の勉強にも
なりますよ。

このサプリが解けたら
あなたの ( I Q ) は

Q 66

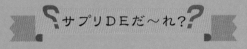

## 次の特徴を持つものとは何でしょう?

1804年、フランス生まれで、日本では明治
10年10月10日の北海道生まれです。日
本だと約800種の仲間がいます。非常事
態で活躍し、アメリカでは南北戦争、日本
では関東大震災がきっかけで広まりました。
昔はのみと金槌が相棒で、けっこう乱暴な
関係でした。今の相棒とはスマートな関係
です。持ち味は長生きすることで、台所で
よく見かけます。大きさは様々ですが、スタ
イルは円筒形が多いです。

147

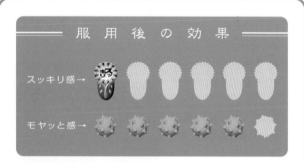

=== 服 用 後 の 効 果 ===

スッキリ感→

モヤッと感→

# 缶詰

サプリメモ

フランスの皇帝・ナポレオンが
軍隊用の食糧として、
長期保存できる方法を募集して
開発されました。

昔はノミとトンカチで叩いて開けていました。

# 処　方　箋

どこに何が
あるかをきちんと
把握して
ください。

このサプリが解けたら
あなたの IQ は

Q 67 --------------------------------------------------

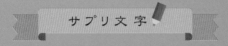
サプリ文字

この文字は
何と読むのでしょう?

--------------------------------------------------

| 服 用 後 の 効 果 | | | | | |
|---|---|---|---|---|---|
| スッキリ感→ | | | | | |
| モヤッと感→ | | | | | |

A 67

# 参観日

山の間に「び」があるので
「さんかんび」です。

**重症患者の症例** 小倉久寛さんの場合

## デヴィ夫人

「び」が出てるから。
↑「で」も「ふ」も「じ」も「ん」もありません。

謎を解き明かし、
盗まれた
宝を取り戻して
ください。

このサプリが解けたら
あなたの **IQ** は

Q 68

IQ村の宝である百億円の指輪を盗んだ
サプリ小僧を逮捕しました。しかし肝心の
指輪が見つかりません。ある場所に隠し
たと言うサプリ小僧を問い詰めるとひと言、
**「逆立ちして、あたりを見渡せば、
どこにあるかわかるぜ！」**。
しかし目に入るのは「月」と「田んぼ」だけ。

一体、指輪はどこに
あるのでしょうか？

スッキリ感→

モヤッと感→

A 68

# 胃袋の中

逆立ちして「田」と「月」の位置関係を
漢字にして見てみると「胃」となります。
サプリ小僧は指輪を飲み込んで
胃袋に隠したのです。

重症患者の症例　石塚英彦さんの場合

## たんす

僕もいろんなものを食べたけど指輪は食べたことありませんね。
↑食べたことがあればわかったかもしれませんねえ。

このサプリが解けたら
あなたの**IQ**は

めざせ、
スッキリ合体！

**Q69**

 合体漢字

# 一＋兄＋兄＋立＋立＋穴＋油＝？

この文字たちを合体させて
2文字の言葉を完成させよ。

(A) 69

<ruby>競<rt>きょう</rt></ruby><ruby>演<rt>えん</rt></ruby>

立＋兄＋立＋兄＝競

油＋穴＋一＝演

───────────────────────

**重 症 患 者 の 症 例** ウエンツ瑛士さんの場合

## 競溜

他に間違えたメンバーは妻夫木聡さんと
伊藤英明さんですから。

↑ウエンツ君との共通点は見出せませんが?

# 処　方　箋

学生の皆さんには
有利なサプリ。
お父さん、
お母さんに
負けないで!

このサプリが解けたら
あなたの I Q は

Q70

愛のマッチ棒劇場

放課後の淡い記憶

8本のマッチ棒で
出来た2つのイスが
あります。

マッチ棒2本を動かしてイスを重ねてください。

**ヒント** 教室掃除の時の
要領を思い出して下さい。

## 服 用 後 の 効 果

スッキリ感→

モヤッと感→

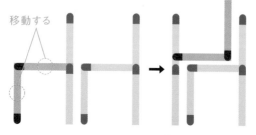

A 70

移動する

縦に並べるのが
ポイントです。

**重症患者の症例** 松本伊代さんの場合

↑折り畳み式ですか?

# 処 方 箋

家族みんなで
この法則を
見破って
ください。

このサプリが解けたら
あなたの **IQ** は

**Q 71**

---

サプリDEどっち？

サプリさん一家の夕食メニューは
家族会議によって決めています。

| ◯グループ | ✕グループ |
|---|---|
| ゆでたまご | 目玉焼き |
| とりそぼろ | チャーハン |
| キムチチゲ | 冷麺 |

では、ソフトクリームは
◯でしょうか？✕でしょうか？

---

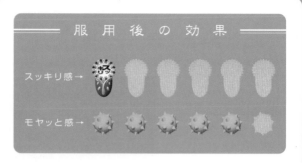

| | | | | | |
|---|---|---|---|---|---|
| スッキリ感→ | | | | | |
| モヤッと感→ | | | | | |

服 用 後 の 効 果

A 71

# ○グループ

○には家族の続柄が隠されているのです。

ゆでたまご→「孫」

とりそぼろ→「祖母」

キムチチゲ→「父」

ソフトクリーム →「祖父」

となるので、○グループです。

**重症患者の症例** 磯野貴理子さんの場合

冷えてもおいしいグループ

↑ちょっと主婦っぽいです。

このサプリが解けたら
あなたの（ I Q ）は

！がポイントです。

（Q 72）----------------------------------------

 サプリ文字

この文字は
何と読むのでしょう？

A 72

# 今田耕司

「今<sup>NOW</sup>だ!」を工事しているのです。

**重症患者の症例** 今田耕司さんの場合

## 無解答

今コウジまでわかったのにぃ〜!
↑灯台下暗しでした。

このサプリが解けたら
あなたの **I Q** は

意外な場所に
注目して
みましょう。

**Q 73**

愛のマッチ棒劇場

謎の三角関係

6本のマッチ棒でできた2つの
正三角形があります。

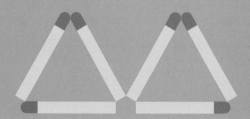

マッチ2本を動かして
正六角形を作ってください。

161

## ━━ 服 用 後 の 効 果 ━━

| | | | | | |
|---|---|---|---|---|---|
| スッキリ感→ | | | | | |
| モヤッと感→ | | | | | |

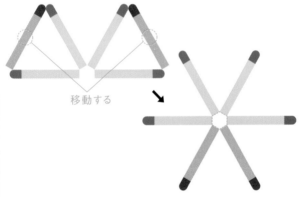

移動する

棒 の 真 ん 中 に 正 六 角 形 が

で き て い ま す 。

重 症 患 者 の 症 例　竹山隆範さん
　　　　　　　　　　&ウエンツ瑛士さんの場合

↑ 外じゃなくて中でした。

## 処　方　箋

時空を超えて
やってきた
サプリです。

このサプリが解けたら
あなたの IQ は

120

Q 74

世界サプリ発見

世界サプリ発見！　現代にまで残る歴史の
産物たちは、今もなお我々に何かを語りかけ
ています。そして今日もまた、古代からのメッ
セージが発見されました。

私の一番好きな
カタカナはどれか？
答えはこの中にある。
サプリⅢ世

ニク
テスプ
ッキビ
リコ

さて、そのカタカナとは何でしょう？

$$\boxed{\text{コ}} \rightarrow \text{イ}$$

「答えはコの中にある」と
書かれています。

---

**重症患者の症例** 磯野貴理子さんの場合

# 恋

↑コとイにまで注目していたのに！

# 処　方　箋

目を凝らして
見てください。

このサプリが解けたら
あなたの I Q は

Q 75

ある法則で並んだ図形があります。

では?には下の4つの
どれが入るでしょうか?

A　B　C　D

## ━━ 服 用 後 の 効 果 ━━

スッキリ感→  ▨ ▨ ▨ ▨ ▨

モヤッと感→ ✦ ✦ ✦ ✦ ✦ ✧

Ⓐ 75

## FIVE

A

図形の黒い部分ではなく白い部分に注目

してみると、なんと「FIVE」と書かれています。

よって?に入るのはAなのです。

重症患者の症例　今田耕司さんの場合

## 無解答

なんとかこのサプリ放送しないようにできへんかなあ。

↑ウエンツ君しか正解できなかったので悔しがっています。

# 処　方　箋

問題文に
集中することが
このサプリを
解くコツです。

このサプリが解けたら
あなたの **I Q** は

*122*

**Q 76**

雪山で遭難したサプリ登山隊は、やっと
のことで山小屋を発見し避難しました。
食べ物を求め小屋中を探す隊員たち。
すると…なんとチョコレートを発見!!
やがてチョコレートを食べ尽くしてしまい
ましたが、山小屋にはチョコレート以外
にも食べ物があったのです!!

さて、その食べ物とは一体?

スッキリ感 →

モヤッと感 →

(A)76

# ナン

「ナン」と「チョコレート」を
発見したのです。

---

**重症患者の症例** 竹山隆範さんの場合

## おまんじゅう

これは今僕が食べたいものです。
↑それは聞いてません。

## 処　方　箋

このサプリが解けたら
あなたの **I Q** は

東大生レベルの
難解な図形を
解読せよ。

Q 77

この6つの図形は
あるものを表わしています。

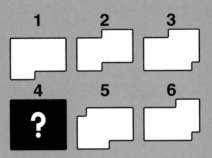

**1**　　**2**　　**3**

**4**　　**5**　　**6**

**?**

では4に入るのは
下の3つのどれでしょう?

**A**　　**B**　　**C**

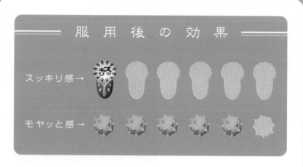

# B

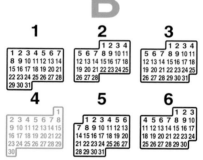

これは2006年のカレンダーの1月～6月の

数字の並びを表したものです。

4月は1日が土曜日で始まるBでした。

（カレンダーにAやCの形は存在しません）

---

重症患者の症例　石塚英彦さんの場合

# 南麻布のワンルーム

↑南麻布が謎です。

天才少女が
活躍する
新シリーズです。

このサプリが解けたら
あなたの **IQ** は

**123**

Q 78

IQ探偵少女物語
第一話「運命の糸」

時価数十億円もする宝石が夫婦の泥棒に盗まれました。警察は犯人を捕まえることができません。宝石の行方を探す手がかりは一通の手紙だけ。

> **瞳へ**
> **日本を出るよ**
> **カナダにおいで!**
> **なくさないように。**
> **隆より**
> ♥2人は運命の糸でつながっている…

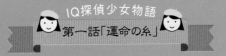

さて、宝石はどこに隠されているのでしょう?

スッキリ感→

モヤッと感→

(A) 78

# 本棚

瞳へ
日本を出るよ
カナダにおいで！
なくさないように。
隆より

♥2人は運命の糸でつながっている…

瞳と隆を糸（線）でつなげると
「本ダな」となります。

---

**重症患者の症例** だいたひかるさんの場合

# 手紙の中

↑探偵小説っぽい答えではあります。

合体で脳の
スイッチを
オンにしましょう!

このサプリが解けたら
あなたの **IQ** は

**Q 79**

合体漢字

# 一＋立＋氏 ＋如＋析＝?

この文字たちを合体させて
2文字の言葉を完成させてください。

(A 79)

## 新婚
しん こん

立＋析＝新
如＋氏＋一＝婚

【重症患者の症例】

今田耕司さんの場合

## 新娵

どこまでも縁が無いということなんでしょうねえ。
↑間際まで行ってるんですけどねえ。

174

数字に弱い家系に生まれてしまったことに悩み、

克服したいという方には、

この青色のページの

サプリを処方いたします。

問題にチャレンジする前に、脳を活性化させましょう。

制限時間
5秒

観覧車の中に、ある歴史上の人物の名前が隠れています。それが誰だかあててください。番組の「IQホイール」と違い、8つの文字がアトランダムに並んでいます。あなたの頭を柔らかくして、推理して並び替えてください。

# 処　方　箋

数学的な
発想が
必要です。

このサプリが解けたら
あなたの **I Q** は

**Q 80** - - - - - - - - - - - - - - - - - - - - - - - - - - - - - -

愛のマッチ棒劇場

恋のヘキサゴン

12本のマッチ棒で
できた6つの
正三角形が
あります。

マッチ2本を動かして正三角形を
5つにして下さい。

**サプリガード** マッチ棒を余らせず、全ての
マッチ棒を使って下さい。

- - - - - - - - - - - - - - - - - - - - - - - - - - - - - - - - - -

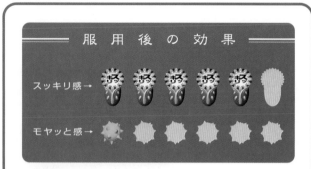

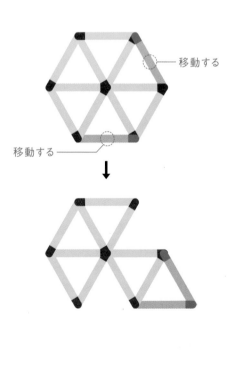

移動する

移動する

↓

処 方 箋

数字の
読み方を
ひとひねり!

このサプリが解けたら
あなたの IQ は

Q 81 ----------------------------------------

サプリ文字

1010101010の10

この文字は
何と読むのでしょう?

| | 服　用　後　の　効　果 | | | | | |
|---|---|---|---|---|---|---|
| スッキリ感→ | | | | | | |
| モヤッと感→ | | | | | | |

 A B1

# 五重塔

5つの10（じゅう）の
10（とお）なのです。

------------------------------------

重症患者の症例　東貴博さんの場合

# 五十の十だと思ってましたね。

↑そのまんまですね。

筆記用具が
繰り広げる
魅惑の世界に
出発です。

このサプリが解けたら
あなたの **I Q** は

Q 82 --------------------------------

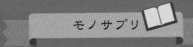
モノサプリ

ここに3と書かれた紙があります。

3

これに鉛筆を使って1本直線を引いて
「3」を「3分の1」にしてください。

**サプリガード** 紙を折ったり曲げたり
してはいけません。

--------------------------------

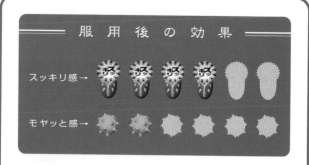

服 用 後 の 効 果

スッキリ感→

モヤッと感→

A 82

1を書く

鉛筆を横に置く

3

→

3

1を書いて、

1と3の間に鉛筆を横に置く。

または横線を引いて、

その上に鉛筆を縦に置く。

書くこと以外にも鉛筆を使うのです。

## PRESCRIPTION

# 処　方　箋

500円玉と
50円玉を
2個ずつ用意して
ください。

このサプリが解けたら
あなたの **IQ** は

Q 83

------------------------------------------

モノサプリ

2枚ずつ並んだ50円玉と
500円玉があります。

隣り合った硬貨を一組として、
2回だけ動かして、
50円玉と500円玉が交互に
並ぶようにしてください。

------------------------------------------

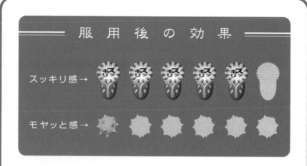

スッキリ感→

モヤッと感→

これを
動かす 1回

これを
動かす 2回

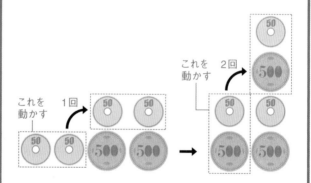

縦に並べるのがポイントです。

重症患者の症例　今田耕司さんの場合

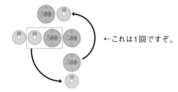

←これは1回ですぞ。

| | |
|---|---|
| ちゃんと<br>計算できる<br>力も必要です。 | このサプリが解けたら<br>あなたの **IQ** は<br><br>**115** |

Q84

モノサプリ 📖

100円玉と
50円玉が
3枚ずつ
あります。

タテ、ヨコ、ナナメの8本の列の
合計がすべて150円になるように
コイン6枚を置いてください。

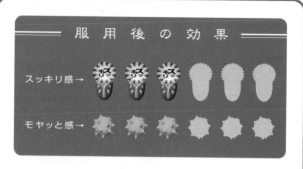

スッキリ感→

モヤッと感→

A 84

----

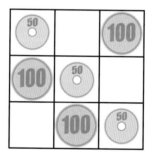

斜めに50円玉を並べるのが
ポイントです。

----

重症患者の症例 根本はるみさんの場合

←たぶん、上の段は200円かと…。

このサプリが解けたら
あなたの **IQ** は

東大生も
4種類のコインを
用意して
挑戦してください。

Q 85

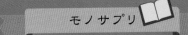
モノサプリ

1円玉、5円玉、10円玉、
500円玉があります。

このコインを使ってできるだけ大きく、
さらに正確な円を書いてください。

**ヒント** 冗談やシャレではありません。

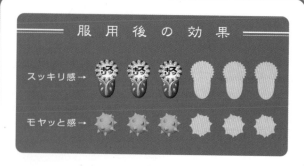

5円の穴に鉛筆を
入れて500円の周りを回します。

**重症患者の症例** 柴田理恵さんの場合

# 1円＋5円＋10円＋500円＝516円

（伊東さんに「ヒントで冗談ではないと言ったでしょ」と言われて）
冗談じゃありませんよ、本気ですよ!

↑柴田さんと伊東さんがもめてます。

東大生も
スッキリする
ことを保証
します。

このサプリが解けたら
あなたの **IQ** は

Q 86

モノサプリ

鉛筆で書かれている5000があります。

5000

直線を1本書き加えて
2分の1にしてください。

サプリガード 折ったり破いたりちぎって
食べたりしてはいけません。

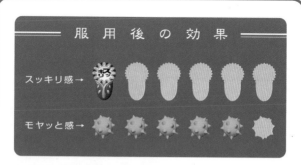

スッキリ感→

モヤッと感→

50％にするのです。

50％＝2分の1です。

# 処　方　箋

マッチ棒が
あなたの心の
すき間を
突っつきます

このサプリが解けたら
あなたの **I Q** は

(Q 87) - - - - - - - - - - - - - - - - - - - - - - - - - - - - -

*愛のマッチ棒劇場*

重なりあふれ出す3つの気持ち

マッチ棒9本で
作られた3つの
正三角形があります。

3本動かして
正三角形を
4つにしてください。

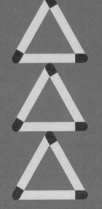

**サプリガード** 重ねたり、折ったり、食べたり
してはいけません。

- - - - - - - - - - - - - - - - - - - - - - - - - - - - - - - - - -

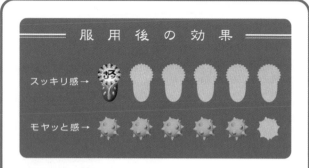

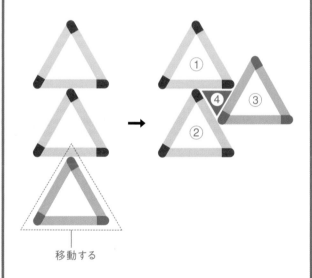

移動する

このようにすると3つの三角形の
真ん中にもうひとつ
正三角形ができるのです。

# 処　方　箋

Q81より
さらにひねって
考えてください。

このサプリが解けたら
あなたの **I Q** は

Q 88

サプリ文字

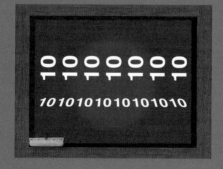

この文字は
何と読むのでしょう?

スッキリ感→

モヤッと感→

# 七転八倒

七つの転んでいる10（ten）と
八つの倒れている10（十）です。

**重症患者の症例** 間寛平さんの場合

## 八頭美人

↑八頭身美人のことですかね。

鼻歌でも歌いながら、

脳天気に地理の勉強をしたいという方には、

この水色のページの

サプリを処方します。

単行本バージョン

問題にチャレンジする前に、脳を活性化させましょう。

制限時間
5秒

観覧車の中に、ある歴史上の人物の名前が隠れています。それが誰だかあててください。番組の「IQホイール」と違い、9つの文字がアトランダムに並んでいます。あなたの頭を柔らかくして、推理して並び替えてください。

答 ミナモトノヨリトモ（源頼朝）

196

## 処　方　箋

花の香りが
漂ういい匂いの
サプリです。

このサプリが解けたら
あなたの　I　Q　は

Q 89

はなわのIQ都道府県

♪そこでは見えないとこにいつもこだわる〜
みんな揃って吐く息いいニオイ、ハァ〜
息の中から花のいい香り〜
男も女も子供も大人も〜
ここがどこだかわかるかな〜♪

さあみんな考えてください〜♪

ヒント 息の中から花のいい香り〜
なんで息の中から花のいい香りがするんだろう〜♪

## 服用後の効果

スッキリ感→

モヤッと感→

A 89

茨城県

「イキ」の中に
「バラ」の花の
いい匂いがするので
イ「バラ」キ県です。

バージョンアップを
とげたはなわからの
挑戦サプリ。
あなたは
解けますか?

このサプリが解けたら
あなたの（ I Q ）は

Q 90 ------------------------------------------------

　はなわのIQ都道府県

♪誰でも知ってる有名なことわざ
「能ある鷹は爪を隠す」～
ところが!そこに伝わることわざはちょっと違う～
自分たちの住む場所を表している～
そこのことわざは
「能あるものが4本のしっぽを出して読書する」
ここがどこだかわかるかな～♪

さあみんな考えてください～♪

服 用 後 の 効 果

スッキリ感→

モヤッと感→

A 90

熊本県

「能」が4本の
しっぽを出すと「熊」。
「熊」が「本」を読むので
熊本県です。

このサプリが解けたら
あなたの **IQ** は

リズムに乗って
日本の地理を
楽しみましょう。

Q 91

はなわのIQ都道府県

♪そこの人たちはみんな用心深い〜
誰もが武器を担いで歩いてる〜
その武器とはズバリ日本刀〜
しかもでっかい刀を8本持っている〜
ここがどこだかわかるかな〜♪

さあみんな考えてください〜♪

ヒント 「でっかい8本の刀」〜
なんででっかい刀を8本も持っているんだろう〜♪

## 服 用 後 の 効 果

スッキリ感 →

モヤッと感 →

A 91

大分県

「大」きい「八」本の
「刀」を組み合わせると
「大分」になります。

## 処　方　箋

洗い物を
したように
脳もリフレッシュ！

このサプリが解けたら
あなたの **IQ** は

Q 92

はなわのIQ都道府県

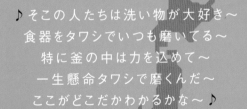

♪そこの人たちは洗い物が大好き〜
食器をタワシでいつも磨いてる〜
特に釜の中は力を込めて〜
一生懸命タワシで磨くんだ〜
ここがどこだかわかるかな〜♪

さあみんな考えてください〜♪

 **ヒント** 釜の中をタワシで磨く〜♪

服 用 後 の 効 果

スッキリ感→

モヤッと感→

Ⓐ 92

鹿児島県

タワシといえば「ゴシゴシ」こするものです。

「かま」の中に「ゴシ」を入れると

「かゴシま」県となります。

重症患者の症例　竹山隆範さんの場合

しが

これくらいの問題だったらスタジオで歌うことねえじゃん!（怒）
↑出た、竹山節!

リニューアル
して問題も
ダジャレから
グレードアップです。

このサプリが解けたら
あなたの I Q は

Q 93

はなわのIQ都道府県

♪そこの人たちは2つの顔を持つ～
スイッチONで名前が変身～
その名前は燃える闘魂～
猪木もビックリ「元気ですかぁー!」
ここがどこだかわかるかな～♪

さあみんな考えてください～♪

ヒント　スイッチONで闘魂になるんだ～♪
何でONで闘魂になるんだろー♪

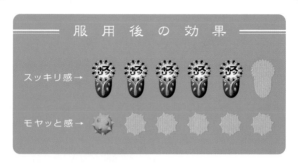

スッキリ感→

モヤッと感→

A 93 ----------------------------------

島根県

ON＝音読みすると
トウコンになるのは
島根県です。

隠れた文字に
注目です。

このサプリが解けたら
あなたの **IQ** は

Q 94

はなわのIQ都道府県

♪見渡すとそこには山がいっぱい〜
大きさ色々たくさんマウンテン〜
ドーンとそびえ立つ大きな山があれば〜
こっそり隠れたちっちゃい山もある〜
ここがどこだかわかるかな〜♪

さあみんな考えてください〜♪

**ヒント** 大きな山と小さな山〜
なんで大きさの違う山があるんだろう〜?

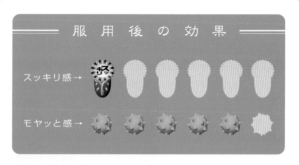

―――――― 服 用 後 の 効 果 ――――――

スッキリ感→

モヤッと感→

A 94

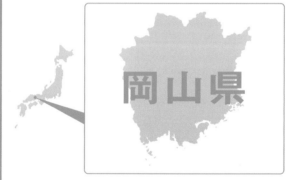

「岡山」の文字の中にはちっちゃい山と
大きな山（岡山）があります。
　　　　　　　　　↑　　↑
　　　　　ちっちゃい山　大きい山

重症患者の症例 松本伊代さんの場合

# 佐山県

↑48番目の県が誕生しました。

## 処　方　箋

歌詞を
よーく読んで
みましょう。

このサプリが解けたら
あなたの **I Q** は

Q 95

はなわのIQ都道府県

♪そこには元気な動物たくさん〜
みんな元気で騒ぎまくってる〜
でも大丈夫シッポを抜くと〜
あら不思議みんなおとなしくなるんだ〜
ここがどこだかわかるかな〜♪

さあみんな考えてください〜♪

**ヒント** シッポを抜くとおとなしくなる〜
なんでシッポを抜くとおとなしくなるんだろう〜♪

スッキリ感→

モヤッと感→

A 95

静岡県

「しずおか」から
シッポ＝尾（お）を
抜くと「しずか」になります。

PRESCRIPTION

## 処　方　箋

さあ、
地図の勉強の
時間です。

このサプリが解けたら
あなたの **I Q** は

Q 96

はなわのIQ都道府県

♪そこでは少しおかしなことが起こる〜
ある文字を取るとみんな怖がる〜
何を取るかというとそれは「と」
そう「と」を取ったら怖がりまくるんだ〜！
ここがどこだかわかるかな〜♪

さあみんな考えてください〜♪

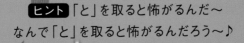
**ヒント**「と」を取ると怖がるんだ〜
なんで「と」を取ると怖がるんだろう〜♪

211

| 服 用 後 の 効 果 | | | | | | |
|---|---|---|---|---|---|---|
| スッキリ感→ | ザス | ザス | ザス | ザス | ザス | |
| モヤッと感→ | | | | | | |

A 96

「きょうとふ」から
「と」を取ると
「きょうふ」になります。

## PRESCRIPTION

# 処　方　箋

今回はマスターが
IQ都道府県
史上ベスト3に
入ると認める
難問です。

このサプリが解けたら
あなたの **IQ** は

**Q 97**

はなわのIQ都道府県

♪ そこの人たちは高いところが大好き〜
みんないつも杉の木の上に登ってる〜
他の都道府県をいつも見下ろす〜
杉の真上にみんないるんだ〜
ここがどこだかわかるかな〜 ♪

さあみんな考えてください〜 ♪

**ヒント** ずばり杉の上〜
なんでみんな杉の真上にいるんだろう〜♪

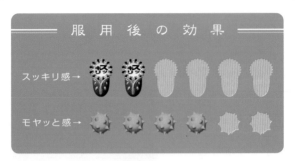

服用後の効果

スッキリ感→

モヤッと感→

A 97 -----------------------------------------

滋賀県

杉の上、つまり
50音順で「す」と
「ぎ」の上にある文字は
「し」と「が」です。

| が | ぎ | ぐ | げ | ご |
| さ | し | す | せ | そ |

214

# PRESCRIPTION

## 処 方 箋

このサプリが解けたら
あなたの **IQ** は

Q 98

はなわのIQ都道府県

♪そこの人たちはお年寄りになると〜
とっても不思議なことが起こる〜
年をとるとみんな変身〜
なんとビックリ、あの動物になるんだ〜
ここがどこだかわかるかな〜♪

さあみんな考えてください〜♪

**ヒント** 年をとるとあの動物になる〜
なんであの動物に変身するんだろう〜♪

215

スッキリ感→

モヤッと感→

A 98

「とくしま」から「とし」をとると
「くま」になります。

重症患者の症例　かつみ♥さゆりさんの場合

# 埼玉県

↑動物のサイを考えていたんでしょうね、多分。

216

# 処　方　箋

このサプリが解けたら
あなたの **I Q** は

この難関
都道府県を
突破できますか?

**Q 99**

 はなわのIQ都道府県

♪そこの学校ではいつも悩んでる〜
テストの時間にジャマ者侵入〜
教室でテストをしていると〜
ある虫が飛んでくるんだ〜
ここがどこだかわかるかな〜♪

さあみんな考えてください〜♪

**ヒント** テストの間に飛んでくる「あの虫」〜
一体その虫って何だろう〜♪

## 服用後の効果

スッキリ感→

モヤッと感→

滋賀県

テストを日本語に
変換すると「試験」です。
その間に「ガ」が飛んでくると
「しガけん」となります。

東大生レベルを
超えます。
天才的な
ひらめきが
必要です。

このサプリが解けたら
あなたの **IQ** は

Q 100 ----------------------------------------

 はなわのIQ都道府県

♪そこの人たちは視力が抜群〜
他の人には見えないものが見えるんだ〜
月にモチをつくウサギがいるように〜
太陽の中にガケが見えるんだ〜
ここがどこだかわかるかな〜♪

さあみんな考えてください〜♪

**ヒント** 太陽の中にがけが見えるんだ〜♪
はなわさんはこれをアメリカに行って作ってきました。

----------------------------------------

スッキリ感 →

モヤッと感 →

A 100

佐賀県

アメリカに行って作ってきた
ということは英語で考えたということ。
太陽を英語で言うと「サン」。
その中に「がけ」を入れると「サがケン」です。

## 番組制作スタッフ

【企　　　　画】——— 熊谷剛（フジテレビジョン）

【プロデューサー】——— 今野貴之　林田竜一

【A　　　　P】——— 深野和伸　田屋聡美

【演　　　　出】——— 井坂周二　川本良樹　稲村健　鈴木優

【ディレクター】——— 渡辺知明　丸山剛　瀬戸宏章　内間一貴
　　　　　　　　　　　池端強　横田和伸

【A　　　　D】——— 林浩司　西岡奈美　小泉奈菜子　林美智子
　　　　　　　　　　　植木栄太郎　大塚隆史　山内大典

【広　　　　報】——— 植村綾（フジテレビジョン）

【構　　　　成】——— 小笠原英樹　渡辺健久　酒井健作
　　　　　　　　　　　板垣寿美　川野将一

【問　　　　題】——— 龍田力　青井曽良　井上修　水野将良
　　　　　　　　　　　伊藤のぶゆき　長谷川大雲　小山賢太郎
　　　　　　　　　　　よねもと大語　山本てつじ　矢野了平
　　　　　　　　　　　藤本裕　石原大二郎

【問　題　監　修】——— 雅孝司

【アソシエイトプロデュース】 河田宣正

制作協力 ——————— 共同テレビジョン
制作著作 ——————— フジテレビジョン

## 出版スタッフ

【装丁・本文デザイン】——— 田中公子（TenTenGraphics）
　　　　　　　　　　　　　　前田実（TenTenGraphics）

【イラスト】——————— 中根ケンイチ
　　　　　　　　　　　　イセ☆キング（P4）

【文】————————— 古沢保

【編　集】——————— 井関宏幸（扶桑社）

## 協力

オルテ企画
吉本興業
ワタナベエンターテインメント
ケイダッシュステージ

# 脳内エステ IQサプリ Ver.4

2006年3月25日　初版第1刷発行


発行人：山田良明

発行所：株式会社フジテレビ出版

発　売：株式会社扶桑社

　　　　〒105-8070 東京都港区海岸1-15-1

　　　　TEL.03-5403-8859（販売）

　　　　TEL.03-5403-8870（編集）

　　　　http://www.fusosha.co.jp

印刷・製本　大日本印刷株式会社

©2006 フジテレビ出版
ISBN4-594-05133-2
Printed in Japan

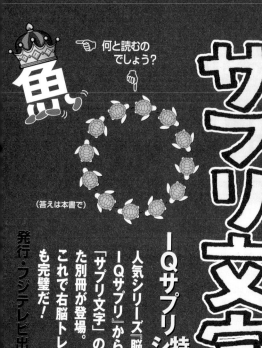